Christine Davenier

# Léon et Albertine

kaléidoscope

Chaque matin la mangeoire de Léon est bien remplie,
il trouve toujours une mare de boue pour gadouiller
et il a plein de très bons copains. Bref, Léon mène une vie
de cochon très heureuse.
Mais depuis qu'il est tombé amoureux,
c'est la catastrophe.
Une jolie poulette, Albertine,
le met dans tous ses états.
Comment faire pour qu'elle le remarque?
Pauvre Léon! Il est désespéré
et n'a plus goût à rien.
Il décide alors de demander conseil
à ses copains…

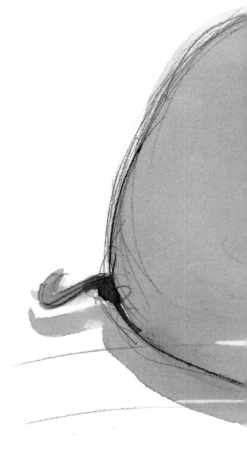

cocorico

«La meilleure façon
de séduire une poule,
proclame le coq,
c'est de chanter.»

Mais Albertine ronfle si fort
qu'elle n'entend pas la sérénade
de Léon.

«Danse, danse, danse, répète le lapin gaiement,
ça marche toujours.»

Mais Albertine continue de picorer
sans même relever la tête.

«Comment veux-tu plaire à Albertine
avec ton allure de cochon? demande le dindon.
Commence par soigner ta toilette
et elle te remarquera.»

Mais Albertine est bien trop occupée
pour faire attention à Léon.

«Ne sois pas une mauviette,
beugle le taureau.
Les dames nous aiment
lorsque nous sommes forts.
Montre-lui un peu de quoi
tu es capable!»

Mais Albertine
reste indifférente à la force.

«Et si tu l'épatais
en faisant un superbe plongeon dans la mare?»
fanfaronne le canard.

Mais Albertine
est bien trop pressée
pour admirer
le nouvel exploit
de Léon.

«C'est fichu, se dit Léon au bord des larmes.
J'ai vraiment tout essayé, jamais Albertine ne fera attention à moi.
Je n'ai plus qu'à m'en aller.»
«Hé! Léon! Où est-ce que tu vas?
Viens jouer avec moi!» lui crie son copain Gaston.

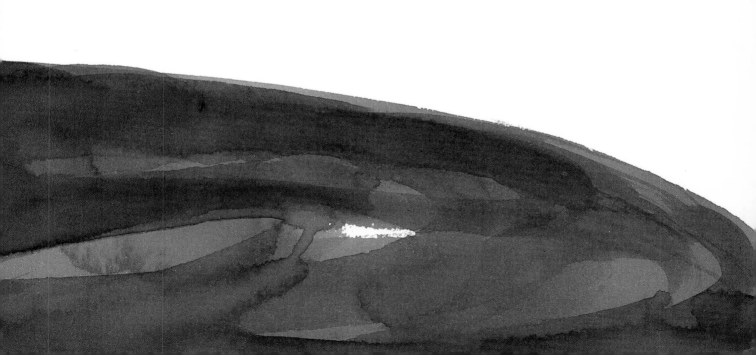

«Oh! et puis après tout!»
Il se jette dans la flaque
et les deux copains font des galipettes,
des cabrioles, des pirouettes…
ils rient tellement que Léon
en oublie sa tristesse.

Leur joie fait plus d'un envieux ;
bientôt tous les animaux de la ferme
pataugent dans la boue.

Tout à coup, Léon s'arrête. Il n'en croit pas ses yeux. Albertine est là, en face de lui, et le regarde en souriant. «Oh! Léon! Qu'est-ce que je m'amuse avec toi! J'aimerais tellement recommencer!»

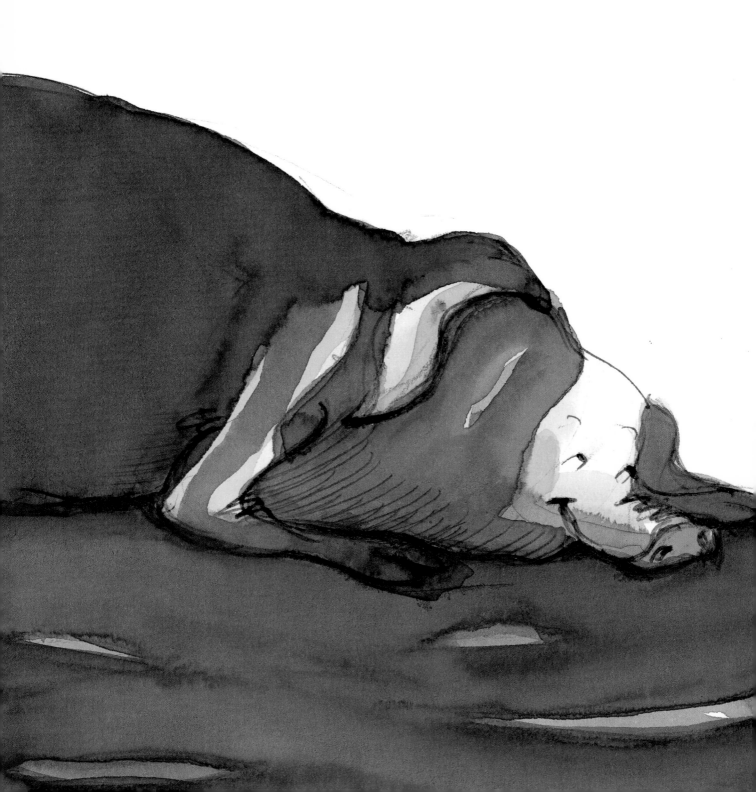

Alors Léon respire très fort, ferme les yeux,
et là, sans demander conseil à personne,
lui chuchote :
« Je t'aime, Albertine. »